BARBARA·SHOOK·HAZEN

LE CHEVALIER QUI AVAIT PEUR DU NOIR

DESSINS DE TONY·ROSS

Pour Emily et Sarah
B. S. H.

Texte français d'Aliyah Morgenstern

© 1989, l'école des loisirs, Paris, pour l'édition en langue française
© 1989, Barbara Shook Hazen, pour le texte
© 1989, Tony Ross, pour les illustrations
Titre original : « The Knight who was afraid of the Dark »
(Dial Books for Young Readers, New York)
Loi numéro 49 956 du 16 juillet 1949 sur les publications
destinées à la jeunesse : janvier 1997
Dépôt légal : janvier 1997
Imprimé en France par Jean Lamour à Maxéville

BARBARA·SHOOK·HAZEN

LeChevALIER

QUI AVAIT PEUR DU NOIR

DESSINS DE TONY·ROSS

Pastel

lutin poche de l'école des loisirs

Il y a bien longtemps de cela, à une époque appelée l'Âge des Ténèbres, vivait un valeureux chevalier répondant au nom de Messire Fred.

Messire Fred délogeait les monstres des douves du château.

Il chassait de la ville les marchands malhonnêtes.
Un jour, il sauva même la gracieuse Dame Gwendolyn
de l'horrible dragon à dix têtes.

Pourtant, il y avait une faille dans l'armure de Messire Fred.
Ce chevalier si courageux avait peur du noir. Une peur bleue,
qui lui faisait battre le cœur et s'entrechoquer les genoux.

Il avait peur du noir de la nuit, du noir en haut de l'escalier de pierre, du noir sous un grand lit de cuivre, du noir entre le trou pour la tête et le trou pour les bras lorsqu'il enfilait son armure.

Quand il allait se coucher, Messire Fred éclairait sa chambre
avec des bougies et un bocal de lucioles.
Son anguille électrique apprivoisée ne le quittait pas de la nuit…

…et s'il devait aller aux cabinets, il l'emmenait avec lui.

Messire Fred avait également très peur qu'on découvre sa peur.
Quelqu'un avait déjà des soupçons : une brute épaisse
qu'au château on surnommait Richard-le-Mouchard.

Richard-le-Mouchard détestait Messire Fred. Il ne pouvait supporter que la gracieuse Dame Gwendolyn le préférât à lui. C'est pourquoi Richard-le-Mouchard espionnait Messire Fred dans les couloirs du château, espérant découvrir la faille dans son armure.

Richard-le-Mouchard remarqua vite que Messire Fred
accomplissait tous ses exploits en plein jour, alors que les autres chevaliers
préféraient souvent la protection de l'obscurité.

Il remarqua également que Messire Fred était le seul chevalier
à ne pas se cacher sous la Table Ronde
quand un orage lançait ses éclairs fulgurants. Au contraire,
plus ça craquait, plus il était content.

Il s'aperçut enfin que Messire Fred ne donnait ses rendez-vous
à Dame Gwendolyn que les nuits de pleine lune. De ce fait,
ils se rencontraient peu souvent et la gracieuse Dame Gwendolyn
se demandait si elle était vraiment la bien-aimée de Messire Fred.

Un jour, cette brute épaisse de Richard-le-Mouchard mit les pieds
dans le plat. Tandis que Dame Gwendolyn lisait une lettre, il se pencha
subrepticement par-dessus son épaule. « Si votre bien-aimé brûlait tant de
vous voir », chuchota-t-il, « il n'inventerait pas toutes ces excuses stupides ! »

« Vous avez vachement raison ! » fit Dame Gwendolyn
en secouant ses boucles blondes et en tapant du pied.

Cet après-midi-là, elle broda une bannière
qu'elle accrocha à sa fenêtre.

Quand Messire Fred vit le message sur la bannière,
il se mit à broyer du noir.

Cette nuit-là, le ciel était plus sombre que l'encre et la lune plus mince qu'une moustache de chat. Messire Fred secoua son oreiller en bredouillant : « Que faire ? J'y vais ou j'y vais pas ? »

« Si je n'y vais pas, je perdrai ma bien-aimée parce qu'elle pensera
que je ne l'aime pas. Si j'y vais, je perdrai ma bien-aimée
parce qu'elle pensera que j'ai peur du noir… ce qui est vrai. »

Finalement Messire Fred décida d'y aller. Grande était sa peur,
mais plus grand encore son amour. Il affronta la nuit armé d'une poignée
de lucioles et d'un bouclier garni de vers luisants,
sa fidèle anguille électrique enroulée à son bras.

Dame Gwendolyn attendait près de la fontaine, les yeux fermés.
Au douzième coup de minuit, elle les ouvrit et poussa
un long hurlement : « Iiiiiiiiiiiiiiiiiiiiii ! »

Puis elle se précipita sur Messire Fred, lui arracha les lucioles des mains,
jeta le bouclier par terre, saisit l'anguille électrique et lui tordit la queue.
Messire Fred, terrifié, se retrouva dans le noir absolu.

« Iiiiiiiiii! Laissez mon bien-aimé tranquille! Lâchez-le, sales bêtes! »
cria Dame Gwendolyn en chassant la dernière luciole de la manche
de Messire Fred. « Tu sais », avoua-t-elle ensuite, « j'ai une peur bleue
des insectes et de toutes ces bestioles gluantes et rampantes… »

Messire Fred accomplit alors le plus grand exploit de sa vie.
Il avoua à Dame Gwendolyn : « Moi, j'ai peur du noir. Une peur
qui me fait battre le cœur et s'entrechoquer les genoux ! »

« Alors, tu es encore plus courageux que je le croyais », dit Dame
Gwendolyn en se jetant dans ses bras, « puisque tu es quand même venu
au rendez-vous ! » « Et toi », dit Messire Fred, « tu es aussi courageuse
que gracieuse puisque tu as voulu me protéger ! »
Et il l'embrassa tendrement.

Richard-le-Mouchard, qui une fois de plus les espionnait, assista à cette émouvante scène d'amour. « C'est écœurant ! » grogna-t-il en trépignant de rage. Puis il déguerpit sans demander son reste.

«Au fond, elle n'est pas si effrayante que je le croyais»,
dit Dame Gwendolyn en caressant l'anguille électrique.

Messire Fred serra très fort sa bien-aimée dans ses bras.
« Le noir non plus n'est pas si terrifiant que cela…
quand on est deux. »